1、2、3！选一选

5

毛妮妮　栾笑语　著

潘　婷　朱　悦　绘

U0203338

知识产权出版社
全国百佳图书出版单位

妮妮和爸爸一起去超市买东西。妮妮最喜欢超市了，那里有各种各样的商品，有吃的、有玩的……大家需要什么东西，就会到超市去买，还会把买的东西放在购物车里推来推去，非常有趣！

2

人们选好了商品后，需要在收银台处排队，很快就轮到妮妮了。

"请问多少钱？"爸爸问。

"150 元。"售货员阿姨说。

爸爸打开钱包一看，惊讶地说："哎呀！钱不够了，只有 100 元。"

"啊？那可怎么办？"妮妮着急地问。

售货员阿姨笑着说："没关系，那就少买几样东西吧！"

买什么，不买什么呢？这真是个难题。

爸爸说："还是先来看看，我们买了哪些东西。"

妮妮和爸爸一起看——

牙膏、排骨、青菜、胶皮手套、西瓜、盐、饼干、黄桃罐头、棒棒糖、鸡肉……

"哇！有这么多东西！"妮妮说："哪个应该买，哪个不应该买呢？"

爸爸说："这些都是我们需要的，都应该买。但有的是急用的，今天就要买，有的东西可以下次再买。妮妮，你来选一选吧！"

妮妮拿起牙膏，想起妈妈早上说："家里的牙膏用完了！"

小白牙，天天刷，没有牙膏怎么行？"1、2、3！选一选！"牙膏需要今天买！

妮妮戳戳排骨，想起奶奶说："晚上奶奶做红烧排骨，妮妮想不想吃？"

排骨肉，香香的，妮妮和爸爸都爱吃。"1、2、3！选一选！"排骨也要今天买！

妮妮看看青菜，想起爷爷说："冰箱没有青菜了，要去超市买一点。"

多吃菜，身体好，每天都要吃青菜。"1、2、3！选一选！"青菜也要今天买！

青菜旁边是胶皮手套，爸爸说："做家务，保护手，胶皮手套很重要。"

"1、2、3！选一选！"胶皮手套也要买！

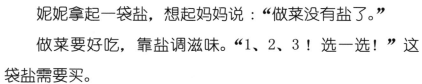

妮妮拿起一袋盐，想起妈妈说："做菜没有盐了。"

做菜要好吃，靠盐调滋味。"1、2、3！选一选！"这袋盐需要买。

爸爸拿起鸡肉，"鸡肉也好吃，但晚上我们吃排骨，鸡肉可以改天吃。""1、2、3！选一选！"鸡肉还是下次买。

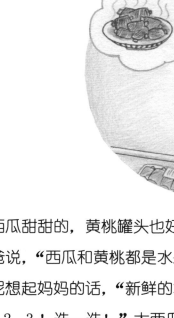

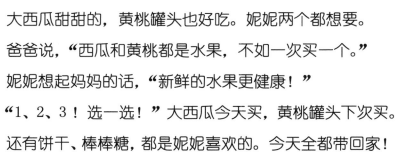

大西瓜甜甜的，黄桃罐头也好吃。妮妮两个都想要。

爸爸说，"西瓜和黄桃都是水果，不如一次买一个。"

妮妮想起妈妈的话，"新鲜的水果更健康！"

"1、2、3！选一选！"大西瓜今天买，黄桃罐头下次买。

还有饼干、棒棒糖，都是妮妮喜欢的。今天全都带回家！

"1、2、3！选一选！"

今天要买的东西有牙膏、排骨、青菜、胶皮手套、西瓜、盐、饼干和棒棒糖。

今天不买的东西有黄桃罐头和鸡肉。

"可是……"售货员阿姨说，"这些商品的价格还是超过了 100 元。"

爸爸问妮妮："这可怎么办？"

妮妮认真看了看购物车里的每一样东西，最后拿起了饼干和棒棒糖，"我更喜欢吃棒棒糖，饼干可以下次买。"

"1、2、3！选一选！"
妮妮和爸爸选好了！

"98元，谢谢惠顾！"售货员阿姨笑着说。爸爸递过去100元，拿回了2元零钱，和妮妮一起带着买好的东西回家了。

妈妈知道了妮妮帮助爸爸选购商品的事情，高兴地亲了亲妮妮的小脸蛋说："妈妈的小宝贝，做出选择困难吗？"

妮妮想起放回货架上的饼干，点了点头。

妈妈笑了笑说："'1、2、3！'选一选！知道方法就不难了。"

妈妈告诉妮妮，超市里的东西有很多，可以买这个，也可以买那个，但最应该购买的是人们真正需要的东西。

首先，是生活必需品，就是人们维持生活所必需的东西，食物、衣服，还有生活用品。在妮妮的购物车里，牙膏就是一件生活必需品。妈妈让妮妮想一想，还有什么是生活必需品。

其次，是并非生活必需，但是人们也想要的物品，这些东西能够提高人们的生活质量。在妮妮的购物车里，排骨、胶皮手套、西瓜、棒棒糖也都是家庭想要的东西。

奶奶计划为大家做红烧排骨，就想要购买排骨。

爸爸要戴着胶皮手套做家务，就想要购买胶皮手套。

妮妮想吃棒棒糖，就想要购买棒棒糖。

全家人都想要吃水果，就想要购买西瓜或者其他种类的水果。

还有一种商品，叫做"奢侈品"，价格昂贵，大大超出人们一般生活的需要。有的商品因为十分稀少而成为奢侈品，比如亮闪闪的黄金珠宝；有的商品因为特殊的价值而成为奢侈品，比如高品质的服务、个性化定制、高端品牌文化等。

其实，大家都会购买自己真正需要的东西，不管是生活必需品，还是昂贵的奢侈品。

"1、2、3！选一选！"如何选择自己真正需要的东西，知道方法就不难！

妮妮发现她经常遇到这样的选择。

回家有很多条路，妮妮要选哪一条？

天气好，看风景，就走开满鲜花的那条路，闻着花香真舒服；天黑了，要下雨，就走最短的那条路，没走几步就到家啦！

只有一个小时的游戏时间，妮妮要玩什么呢？

小汽车，呜呜呜；小皮球，砰砰砰。可妮妮最爱魔法杂货店，和小明、小花一起玩！

在魔法杂货店里，小明对妮妮说："我要一辆小汽车、一个汉堡包，还要那个红皮球。"

妮妮摇摇头，"'1、2、3！选一选！'你只有10张玩具钱，只能买一样东西，选择你真正需要的东西吧！"

小明想了想说："我饿了，汉堡包是我真正需要的东西。"

妮妮收下钱，将玩具汉堡包递给小明，小明接过来，假装吃得特别香！

小花来到收银台前，"我要一面小镜子、一包糖，还要一朵漂亮的花！"

妮妮摇摇头说："你只有 10 张玩具钱，只能买一样东西，选择你真正需要的东西吧！"

小花想一想，"我家有镜子，还有没吃完的糖，但是我没有送给妈妈的礼物。"

"那漂亮的花是你真正需要的。"妮妮收下钱，将玩具花递给小花，小花高兴极了！

"1、2、3！选一选！"知道方法就不难了！小朋友，你记住了吗？

123！选一选

开学了，现在可以让孩子拥有一定数额的钱币，让他们自由的做主，为接下来的一个学期准备上学需要的物品了。让孩子了解真实生活中，爸爸妈妈为他们准备学习物品需要的货币数量。让孩子了解"资源是有限的"这样的概念，在自己的"想要"和真实的"需要"中，进行选择。

我们要准备什么呢？

我的钱包、各种物品卡

（见本册书附带道具卡片）

1 孩子手中的预算为200元，假设游戏道具卡中钱包的面积大小代表了200元。

2 撕下物品卡，将希望购买的商品放在钱包框中。
要求：物品卡平铺，不能超过钱包框边界。

3 爸爸、妈妈检查一下，物品是否均为上学准备的必要物品，价格是否超过了200元，即钱包的整个面积。

4 让孩子将商品卡按照"想要"和"需要"，进行分类，并说明原因。

5 爸爸、妈妈引导孩子思考，想要的东西太多，但是在金钱有限的情况下，如何做出选择。

毛妮妮

"财智少年"青少年儿童财商教育项目创始人，金融教育从业十余载，是中国最早从事青少年儿童金融启蒙教育、财经素养培养的实践者之一；曾任瑞银金融大学（UBS Business University）中国区总监，全面负责瑞银集团中国区"第二代培养计划 —— Young Generation（睿隽计划）"的策划、设计与实施，亲历中国超高净值人群财富传承，对于中产阶层人群的财富积累、财富观养成、财富意识打造具有独到见解；近年来，一直致力于传播正确的财富观、培养青少年经济社会的独立生存能力和理性选择能力，帮助其提升幸福感。

栾笑语

吉林大学文学硕士，资深媒体人。
长期关注宏观经济和微观经济、青少年财商教育，对儿童心理学也有研究。
现供职于《经济日报》，为主任记者。

财智少年订阅号　　　　　财智少年服务号　　　　　扫一扫听绘本

⚠ **警告WARNING：**
内含游戏道具，不适合3岁及以下儿童玩耍，请在成人指导下使用。

来放进钱包吧！

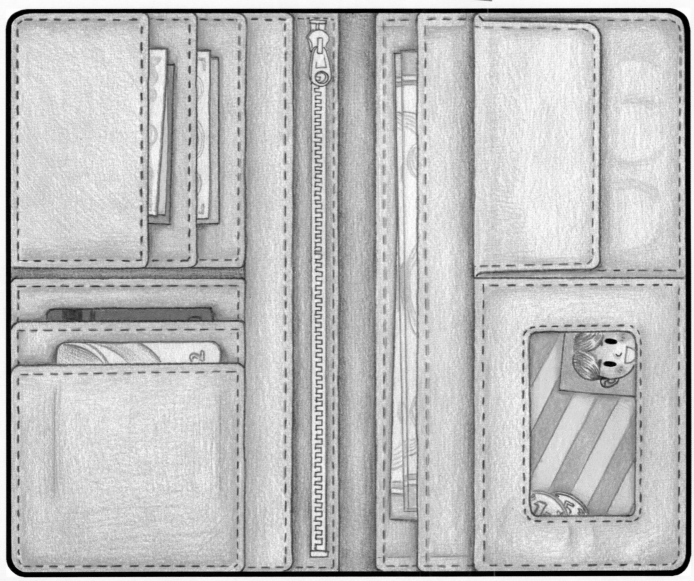

尺 子　　铅 笔　　书 皮　　橡 皮

书 包

足 球　　篮 球

运 动 服

钢 笔　　彩 笔

水 壶　　笔 袋

航 模

手 表

剪 刀

跳 绳

纸 巾

辅导书

毽 子

运动鞋

课外书

练习本